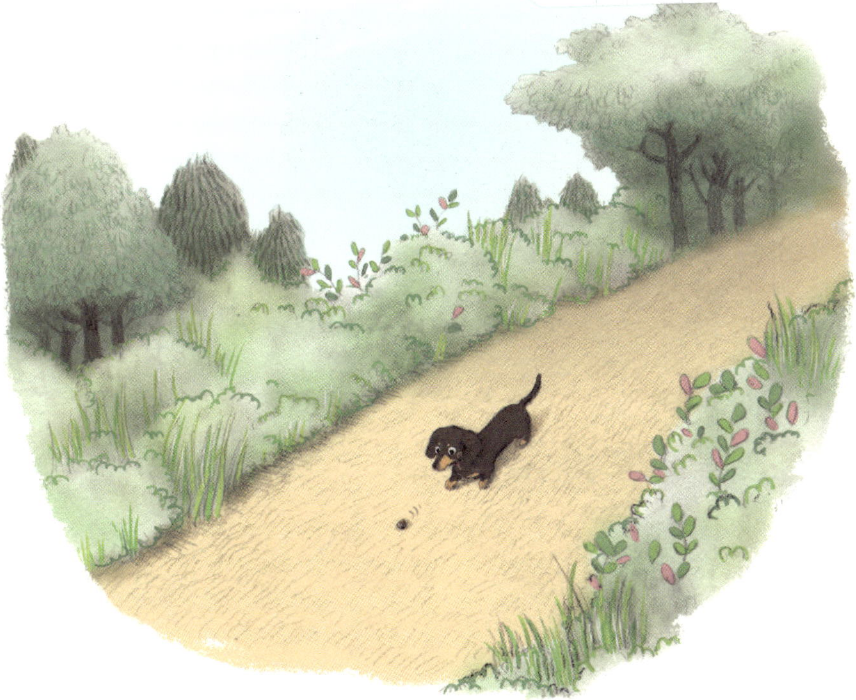

도토리가 데굴데굴
굴러요.

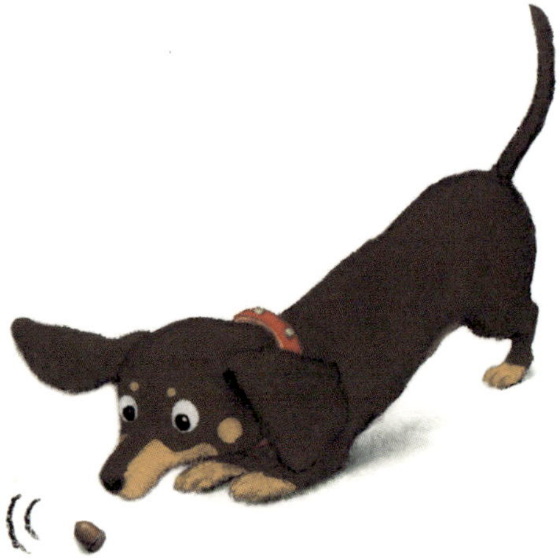

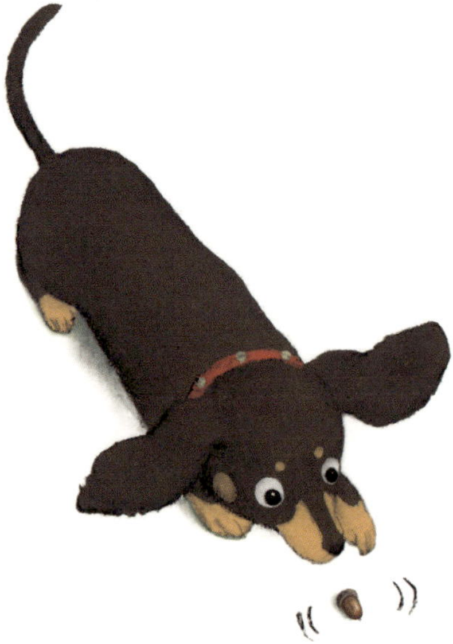

개가 도토리를
이리저리 굴려요.

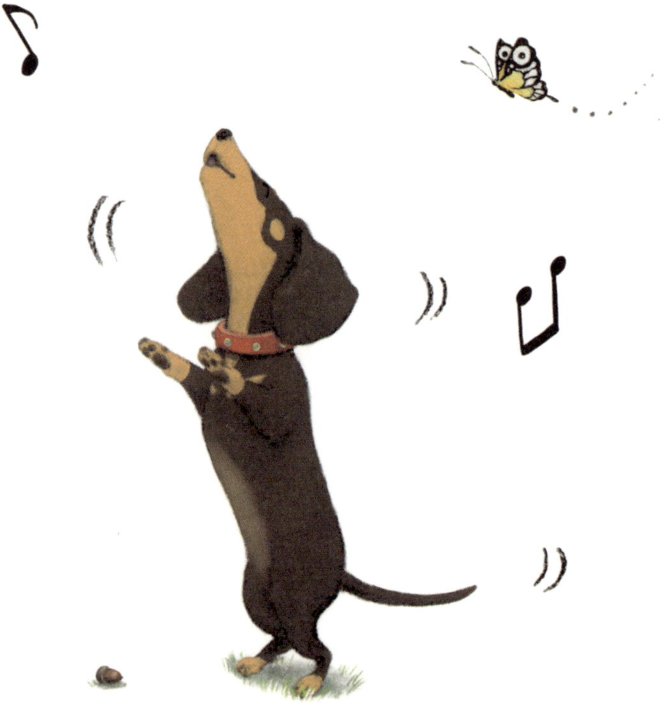

개가 리듬을 타요.

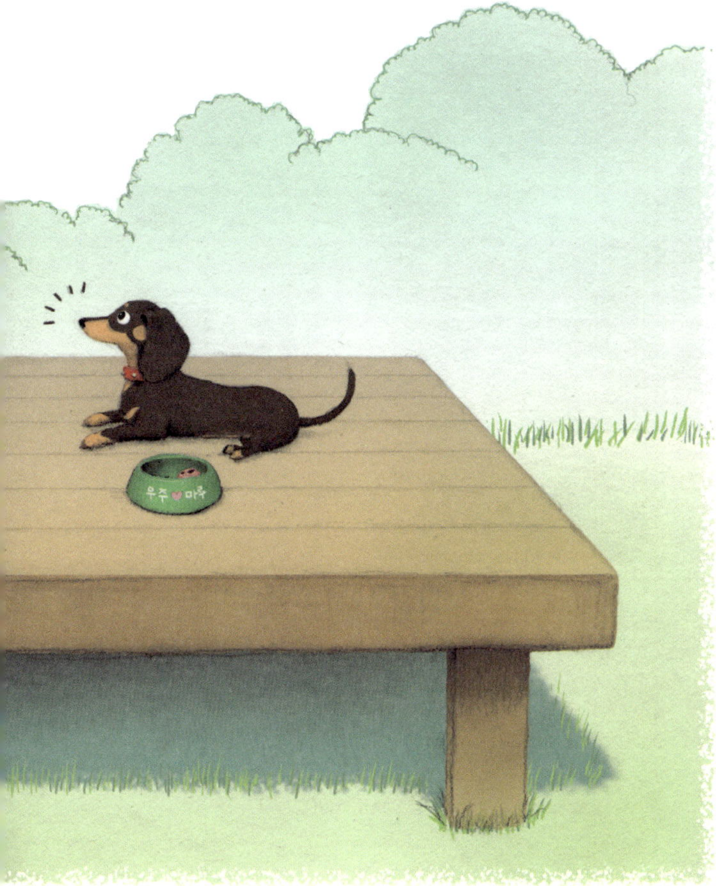

우주네 개 이름은
마루예요.

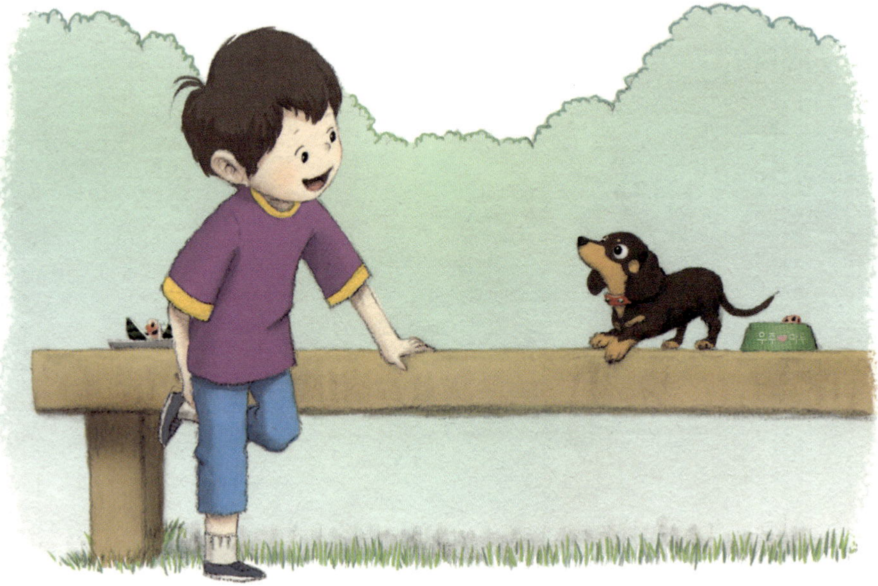

“마루야,
우리 나가서 놀자.”

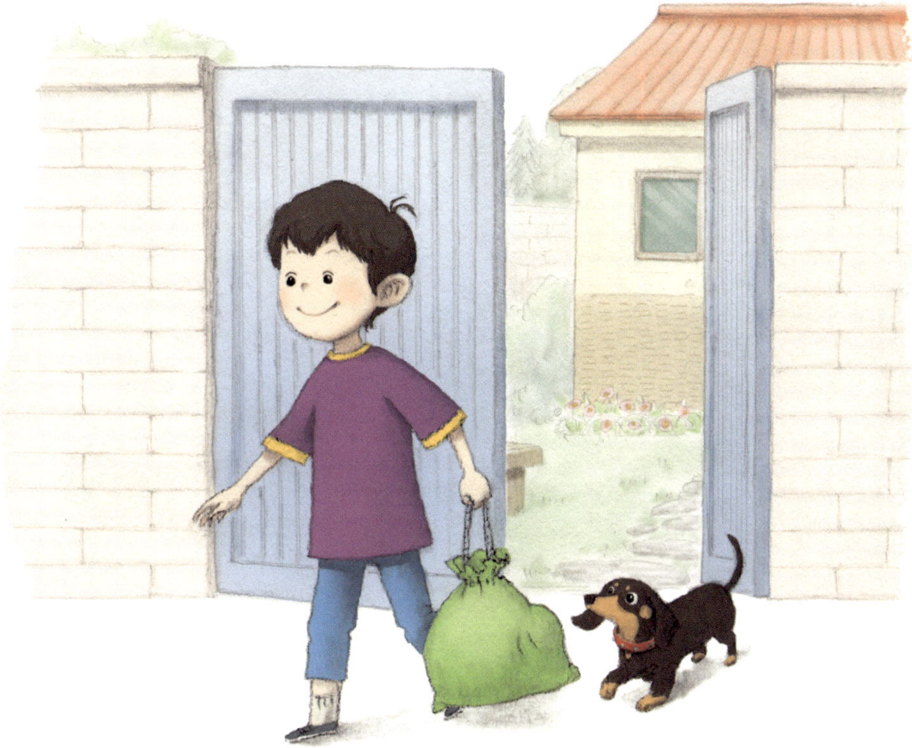

우주와 마루는
집에서 나와요.

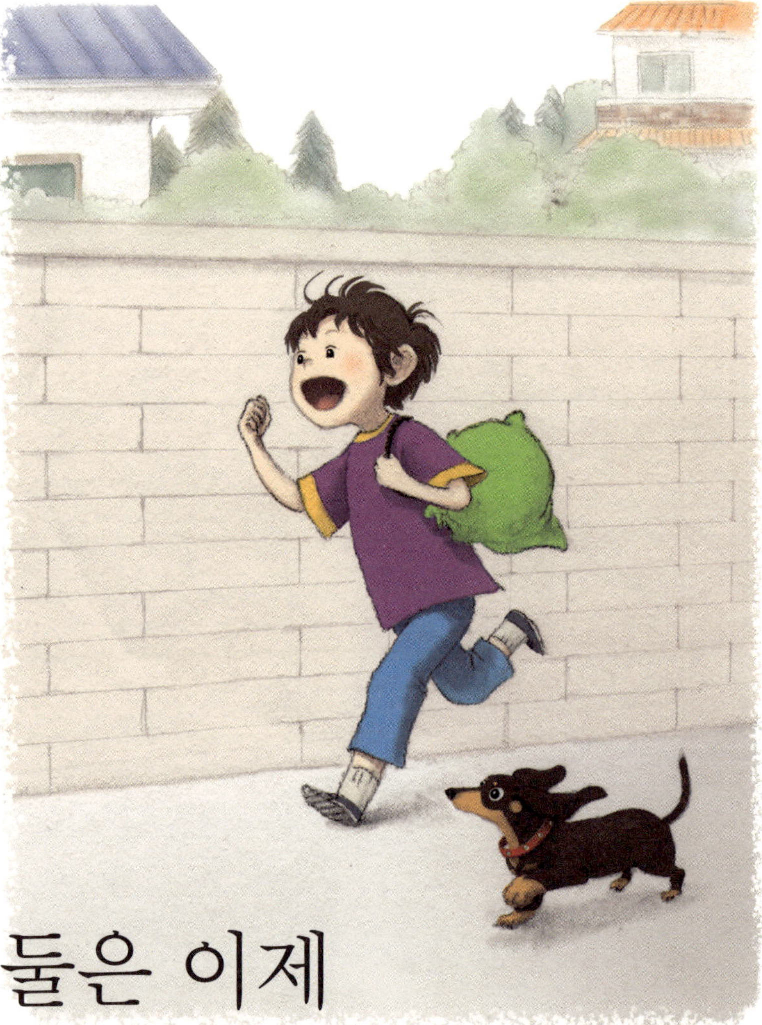

둘은 이제
어디로 갈까요?